CB004725

CHICO BENTO©
Além da Vida

Dados Internacionais de Catalogação na Publicação (CIP)
(Câmara Brasileira do Livro, SP, Brasil)

Sousa, Mauricio de
Turma do Chico Bento: além da vida / Mauricio de Sousa, Luis Hu Rivas, Ala Mitchell. - Catanduva, SP : Instituto Beneficente Boa Nova, 2019.

ISBN 978-85-8353-135-7

1. Espiritismo - Literatura infantojuvenil
2. Reencarnação I. Hu Rivas, Luis. II. Mitchell, Ala. III. Título.

19-28537 CDD-028.5

Índices para catálogo sistemático:

1. Espiritismo : Literatura infantil 028.5
2. Espiritismo : Literatura infantojuvenil 028.5

Equipe Boa Nova

Diretor Presidente:
Francisco do Espirito Santo Neto

Diretor Editorial e Comercial:
Ronaldo A. Sperdutti

Diretor Executivo e Doutrinário:
Cleber Galhardi

Editora Assistente:
Juliana Mollinari

Produção Editorial:
Ana Maria Rael Gambarini

Coordenadora de Vendas:
Sueli Fuciji

2019
Direitos de publicação desta edição no Brasil reservados para Instituto Beneficente Boa Nova, entidade coligada à Sociedade Espírita Boa Nova, Av. Porto Ferreira, 1031 | Parque Iracema
Catanduva/SP | 15809-020 | Tel. (17) 3531.4444
www.boanova.net

O produto da venda desta obra é destinado à manutenção das atividades assistenciais da Sociedade Espírita Boa Nova, de Catanduva, SP.
2ª edição

10º ao 15º milheiro
5.000 exemplares - Janeiro de 2021.

Estúdios Mauricio de Sousa

Presidente: Mauricio de Sousa

Diretoria: Alice Keico Takeda, Mauro Takeda e Sousa, Mônica S. e Sousa

Mauricio de Sousa é membro da Academia Paulista de Letras (APL)

Diretora Executiva
Alice Keico Takeda

Direção de Arte
Wagner Bonilla

Diretor de Licenciamento
Rodrigo Paiva

Coordenadora Comercial
Tatiane Comlosi

Analista Comercial
Alexandra Paulista

Editor
Sidney Gusman

Layout e Desenho
Anderson Nunes

Revisão
Daniela Gomes, Ivana Mello

Editor de Arte
Mauro Souza

Coordenação de Arte
Irene Dellega, Maria A. Rabello

Produtora Editorial Jr.
Regiane Moreira

Cor
Giba Valadares, Kaio Bruder, Marcelo Conquista, Mauro Souza

Designer Gráfico e Diagramação
Mariangela Saraiva Ferradás

Supervisão de Conteúdo
Marina T. e Sousa Cameron

Supervisão Geral
Mauricio de Sousa

Condomínio E-Business Park - Rua Werner Von Siemens, 111
Prédio 19 — Espaço 01 - Lapa de Baixo — São Paulo/SP
CEP: 05069-010 - TEL.: +55 11 3613-5000

CHICO BENTO©
Além da Vida
MAURICIO DE SOUSA EDITORA
boanova editora

Prefácio

Amor, Espiritualidade e Esperança.

Será que viemos de algum lugar, antes de nascer? Alguém cuida de nós, enquanto nos aventuramos pela Terra? E as pessoas que amamos, para onde vão ao final da vida? É possível que sua luz continue acesa?

Imagine descobrir essas respostas em uma linda e emocionante história, envolvida num doce sotaque caipira, na qual podemos ver o amor nascer, viver entre nós e jamais desaparecer.

Pensando nisso, *Chico Bento – Além da Vida* reconta, em forma de livro ilustrado, duas histórias em quadrinhos: *Uma estrelinha chamada Mariana* e *o presente de uma estrelinha*, publicadas na revista do caipirinha, na fase da Editora Globo, nas edições nº 87 (maio de 1990) e nº 449 (junho de 2005).

Então, viaje por esta narrativa emocionante, divertida, cheia de doçura e com um final surpreendente.

Luis Hu Rivas e Ala Mitchell
Consultores do livro *Chico Bento – Além da Vida.*

Esta história começou há muito tempo, em algum lugar lá no alto, onde morava Mariana, um ser tão luminoso quanto uma estrela.

Todas as noites, ela se encontrava com as irmãs, que a chamavam carinhosamente de Estrelinha.

Lá de cima, via o mar, as praias, as montanhas...

Mas o que a Estrelinha gostava mesmo era de observar os momentos em família. Ela sempre pensava:

— As manifestações de amor dos pais com seus filhos são as coisas mais lindas da Terra.

Mariana via também os animais dormindo e os homens na varanda contando "causos".

Certa noite, ela observou um pai segurando um lampião, iluminando o caminho para que seu filho pudesse ir ao banheiro.

— Pronto, pai! — disse o garoto.

Z

Muitas vezes, Estrelinha pensava. “Gostaria muito de morar na Terra”.

Pela manhã, o brilho do sol era um convite para descansar, e nossa amiga precisava se retirar!

Então, Mariana decidiu contar a ideia para suas irmãs:

— Até já escolhi uma família com quem gostaria de morar!

Suas irmãs adoraram a ideia e disseram que existia um jeito de a Estrelinha ir para a Terra.

Elas ficaram em volta da amiga, deixando-a bem pequenininha.

Foi tão rápido, que Mariana ficou tonta. Quando se recuperou, ela se viu chegando à Terra. Observou o lar onde tinha escolhido morar e disse:

— Naquela manhã, quando o sol nasceu, não retornei com as minhas irmãs! Havia ficado na Terra.

Alguns dias se passaram e Estrelinha estava guardadinha num lugar bem seguro e tranquilo.

De lá, ela podia escutar a conversa dos animais.

— Quá, quá! — disse o senhor pato.

— Cocorocó! — cacarejou o galo.

Semanas depois, os pais de Chico, Nhô Bento e Dona Cotinha, foram fazer uma visita ao médico.

— Tenho uma boa notícia! — disse o doutor. — A família vai aumentar! Vocês vão ganhar um bebê!

Ao chegar em casa, Dona Cotinha, toda feliz, contou:

— Chico, tenho uma surpresa!

— Quar? — perguntou Chico Bento.

— Ocê vai ganhá um irmãozinho! — revelou Dona Cotinha.

— Puxa! I nem é o meu niversário! — disse Chico.

Procurando pela casa, Chico Bento perguntou:

— Qui batuta! I donde ele tá?

— Na minha barriga! — respondeu a mãe.

— Qui danado! O qui tá fazendo aí? — perguntou Chico.

Dona Cotinha explicou que ele ainda era muito pequenininho:

— Só sai dispois di crescê!

— Do meu tamanho? — perguntou Chico Bento, curioso.

— Qui nada! — falou Dona Cotinha. — Do tamanho dum bebezinho!

Chico Bento ficou imaginando como seria, e novamente perguntou:

— Demora muito, mãe?

— Um poquinho, fio! — respondeu Dona Cotinha.

— Cresce logo, irmãozinho! — falou Chico abraçando a barriga da sua mãe. — Tô doidinho pra brincá cocê!

Os dias foram passando. A mãe de Chico Bento continuava cuidando da casa e dando de comer aos porquinhos e à vaquinha:

— Óinc! Óinc! Muuuu! Muuuu! — diziam os bichinhos agradecidos.

De repente, apareceu Chico Bento, com Zé Lelé e Zé da Roça ao lado.

— O meu irmãozinho! Já tá grandão! I dá um monte di chute! — contou Chico aos seus amigos.

— Parece que vai nascer uma melancia! — falou Zé da Roça, sorrindo.

— O uma bola di futebor! — disse Zé Lelé, rindo.

— Dá licença, irmãozinho... — resmungou Chico Bento, todo bravo. — Num sô professor, mais tenho qui dá uma lição nuns sujeito...

E saiu correndo atrás dos seus colegas brincalhões, gritando:

— Vorta aqui!

Os meses se passaram e, finalmente, chegou o dia de Mariana sair da barriga da mamãe para o mundo!

— Buáááá! Buáááááá! — era o grito de um belo neném!

E ela foi muito bem-recebida pela família.

— É uma minina! — disse Dona Cotinha.

Chico Bento era o mais emocionado. Ele estava encantado:

— Qui bunitinha!

O menino não parava de brincar e cuidar da sua pequena irmã.

— Bilu, bilu, bilu! Muuuu! Muuuu!

Com o passar dos dias, Chico levava Mariana para passear e falava:

— Quiria tanto qui ocê crescesse logo!

— Nós vamo nadá junto... Pegá umas goiaba... — disse Chico Bento.

E ainda avisava:

— Ah! I si arguém arresorvê mexê cocê, vô arranjá a maior increnca!

Ao anoitecer, as irmãs da Estrelinha apareciam pra saudar a sua amiguinha, que agora estava na Terra.

Uma delas disse:

— Não esqueça que o seu lugar continua do lado de cá.

Outra acrescentou:

— Estaremos sempre com você.

BUÁÁÁÁÁ!

A pequena Mariana adorava a sua família.

Mas, certo dia, a irmãzinha de Chico Bento ficou doente e não parava de chorar.

— Ela tá com muita febre! — disse Dona Cotinha.

Nhô Bento foi correndo chamar o Doutor.

O Doutor examinava a pequena menina, enquanto ela pensava: "Gosto muito da minha família, da minha casa, do meu bercinho...".

— Buáááá! Buáááá! — Mariana não parava de chorar.

A pequena Estrelinha lutou muito pra ficar... Ela lutou tanto, tanto... Mas sentiu que tinha que ir!

Mariana agora estava de volta ao seu antigo lar.

Ela foi recebida com muito carinho pelas suas irmãzinhas.

— Sei que deixei uma dor muito grande. — disse Mariana. — Mas a vida continua!

Mariana percebia que seus pais sentiam muita saudade. E sempre lembrava do seu irmãozinho:

— Ah, meu maninho! Queria tanto estar com você, brincando, pulando, nadando e me deliciando com aquelas goiabas.

Agora, quando as noites chegam, sua família aparece na varanda da casa e olha para o céu estrelado.

— Eles observam as estrelas mais brilhantes do firmamento e imaginam que sou eu. — diz Mariana.

Algum tempo se passou. E já era às vésperas do aniversário do Chico Bento.

Dona Cotinha estava na cozinha preparando um bolo delicioso.

— Eita, mãe! Num querdito qui já é aminhã! — exclamou Chico, todo ansioso. — Meu niversário!! Num vejo a hora de chegá!

Chico já imaginou a sua turma chegando:

— Vai sê uma festança i tanto, sô! Cas brincadeira, cantoria... i as gostosura qui só a sinhora sabe fazê...

Mas ele percebeu a mãe toda distraída, pensando em outra coisa.

— Mãe! Tô falando ca sinhora! — disse Chico.

— Hã? Discurpa, fio! Eu num tava prestando atenção! — respondeu Dona Cotinha.

— Num é nada, não... só tava falando da minha festinha di aminhã! — explicou o garoto.

— É craro, fio! Ocê merece sempre a mior festa do mundo! Sabe pru quê? Pruque ocê é o mior fio qui ixiste! — disse Dona Cotinha, dando um beijão no Chico.

Chico se afastou da cozinha, mas sabia bem que, quando a mãe ficava assim, quieta, é porque estava pensando na sua irmãzinha.

— A Mariana, tadinha! Sei qui a mãe quiria qui ela tivesse aqui ca gente! — disse Chico. — Ia sê bão dimais!

À noite, Chico saiu e ficou na varanda contemplando o céu. Então, falou:

— Pensa só... uma irmãzinha pra comemorá o niversário cumigo!

— Mas tem coisa qui é ansim mermo! Num dá pra intendê! Si ela tá co pai do céu... deve di tê sido por um bão motivo! — refletiu Chico, olhando para o alto.

E o garoto continuou:

— É por isso qui, quando oio pro céu, eu sei... Ela tá lá im riba! I aqui dentro, tamém! Eu sei qui ela deve di tá bisoiando a gente!

— I, às veiz, quando eu oio, parece qui iscuito ela querendo mi dizê arguma coisa! — disse Chico Bento. — Como si tivesse si aprochegando pra cochichá no meu ovido!

Intão, aos poucos, ele foi percebendo que uma luz do céu estava aumentando seu brilho e parecia se aproximar.

— Uai! É doidera minha... o aquela istrela tá ficando maior?

A luz foi ficando cada vez mais próxima e maior. Enquanto cobria o rosto, Chico exclamou:

— Vixi Maria! Num consigo oiá! Pru que qui a danada tá briando ansim?

— Pode olhar agora, Chico! — disse uma voz doce. — Esqueci que, quando estamos aqui embaixo, os olhos não aguentam nosso brilho! — falou a voz.

— Meu sinhor! Q-quem é ocê? — exclamou Chico, dando um pulo de espanto.

— Não lembra mais de mim, Chico? Faz tanto tempo assim? — respondeu a voz.

Chico Bento ficou pensativo e, titubeando, disse:

— M-Mariana?! É ocê?!

— Eu mesma, maninho! Pedi permissão do alto, para voltar aqui pra baixo, só pra visitar você! — respondeu a irmãzinha.

— Num querdito! Minha maninha vortô! — gritou Chico, todo contente.

— Ispera qui eu vô chama o pai i a mãe! Eles vão dá pulo di alegria quando sobé qui ocê tá aqui! — pediu Chico à sua irmã.

— Não, Chico! Não! — disse Mariana.

— O qui foi? Ocê num qué vê eles?! — perguntou Chico Bento.

— Mas eu vejo lá de cima! Todos vocês! — respondeu Mariana. — Mas, hoje, eu vim só pra visitar você! Meu maninho protetor!

— É... Eu cuidava docê, sempre qui podia! — recordou Chico Bento. — Alembra qui eu dizia qui ia arranjá a maior increnca si arguém mexesse cocê?

— Ah, lembro, sim! — confirmou Mariana.

— Eu quiria tanto qui ocê tivesse aqui aminhã, pra comemorá o meu niversário! — pediu Chico.

Mariana explicou que não poderia aparecer:

— Infelizmente, eu não posso ficar por muito tempo, maninho!

Logo depois, Mariana contou que já acompanhava a família do Chico mesmo antes de nascer como irmãzinha dele.

— Foi por isso que eu vim à Terra! Queria viver na companhia de uma família tão amorosa como a de vocês!

Quando Mariana lembrou do momento em que teve que retornar, Chico lamentou:

— Eu mi alembro bem... Foi o dia mais triste da minha vida! Achei qui ocê ia ficá pra sempre ca gente!

— Mas eu fiquei, seu bobinho! Só que, agora, lá de cima! — comentou Mariana. — Olhando, observando, cuidando de vocês!

— Tamém num sei dizê, mais, di certa manera, tamém sempre sinti ocê por perto! — falou Chico Bento. — Principarmente nas noite qui fico só eu, sozinho!

Mariana se emocionou, e Chico convidou novamente:

— Não qué mermo entrá? A mãe tá fazendo cada gostosura...

— Eu até queria, mano! Mas nem sempre podemos nos mostrar por aí assim. — respondeu Mariana.

— Acho qui intendi! Nem todo mundo vai intendê si vê ocê, né? — disse Chico Bento.

— Oh-Oh! É hora de ir. — disse Mariana.

— Não! Num vai di novo, não! — pediu Chico, com lágrimas nos olhos.

— Mas eu não vou embora, Chico! — consolou Mariana. — Só vim dar um "alô" pra você! E desejar um feliz aniversário!

— Intonce, ocê si alembrô? — perguntou Chico.

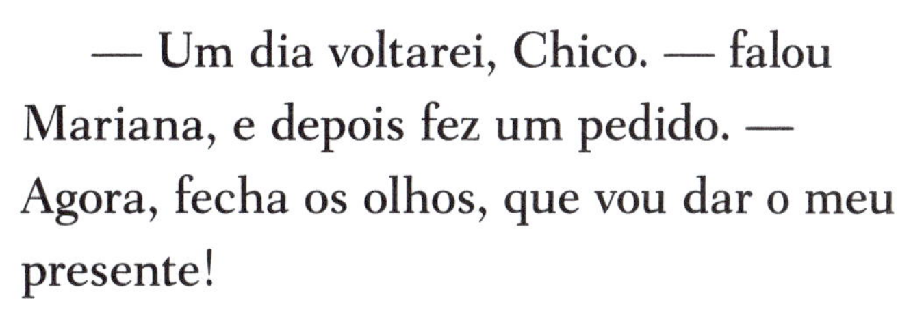

— Um dia voltarei, Chico. — falou Mariana, e depois fez um pedido. — Agora, fecha os olhos, que vou dar o meu presente!

— Quê?! Vô ganhá um presente docê? — falou Chico contente.

— É! Mas não vale espiar! — disse Mariana.

— Tá bão! Num vô bisoiá! — respondeu Chico, com os olhos fechados.

Mariana, vendo que Chico estava de olhos fechados, disse:

— Então, vou brilhar! Brilhar como nunca brilhei antes!

— Qui sensação danada di boa! Di paiz, tranquilidade... Um calorzinho gostoso! — disse Chico, sentindo-se como no céu. — Faiz cosquinha! Inté parece que eu tô avoando!

Segundos depois, Chico perguntou:

— Mariana, já posso abri os zoio agora? Mariana?

E, ao abrir os olhos, ele estava deitado na sua cama e sentiu que a luz do sol estava entrando no seu quarto. Chico procurou pela irmã, mas ela não estava mais ao seu lado.

— Cadê ela? Mariana?!

Então, Chico Bento se lembrou que naquele dia acordou zonzo:

— Meu pai disse qui mi incontrô drumindo na varanda i mi colocô na cama! I num sei pru quê, mais aquele dia tava diferente!

No dia do seu aniversário, Chico percebeu que havia uma alegria no ar, algo que ele nunca tinha sentido. Parecia que Dona Cotinha e Nhô Bento também sentiram que Mariana esteve naquele lar na noite anterior.

CHICO

Por um momento, Chico Bento ficou na dúvida. Até que percebeu uma coisa diferente dentro dele. Lá no fundo do peito.

— Era a isperança! Esse qui foi o meu presente! — disse Chico. — A isperança di incontrá ela mais uma veiz!

Aquele foi o aniversário mais feliz da vida do Chico! Não só pela festinha que seus pais prepararam, mas pela visita da sua irmãzinha, que ele sabia que um dia iria rever.

— Achei inté qui ia ganhá uma irmãzinha di novo, i qui ia sê ela vindo bisbiotá aqui imbaxo, mais uma veiz... — disse Chico Bento. — Mais nunca mais eu tive uma irmãzinha! Nem irmãozinho!

Depois desse dia, todas, as noites o caipirinha olhava para o céu pela janela, chamando sua irmã. Mas ela nunca mais veio.

— Hoje, quando oio pro céu, i vejo as istrela... — disse Chico Bento. — Parece qui ela tá lá im riba, mi oiando!

Às vezes, Chico pensava que aquele encontro com sua irmã só poderia ter sido uma coisa da sua imaginação, mas algo dentro dele lhe dizia que não era só isso.

— O qui si assucedeu num foi um simpres sonho! — afirmou Chico Bento. — Eu falei com ela!

Muitos anos depois, Chico Bento casou-se com Rosinha, formando outra linda família.

Desta vez, ao contemplar a noite estrelada pela janela, ele disse:

— I si arguém duvidava qui um dia ela ia vortá... Errô! Pruque eu ganhei o presente mais bunito do mundo intero: a isperança!

De repente, ouve-se uma voz doce e infantil:

— Papai!

Chico foi correndo atender o chamado, e pensou:

— I é a Isperança qui mi feiz querditá... Qui ela tá cumigo mais uma vez! Não como minha maninha, mais agora como parte di mim! Minha filhinha!

CURIOSIDADES

Muito querido por leitores de todas as idades, Chico Bento foi criado pelo também caipira Mauricio de Sousa (que nasceu em Santa Isabel, interior de São Paulo) a partir das suas lembranças sobre o homem do campo. O nome do personagem foi emprestado de um tio-avô do autor, e estreou em 1963, na tira *Hiroshi* e *Zezinho* (o Hiro e o Zé da Roça, respectivamente), publicada na hoje raríssima revista da cooperativa *Coopercotia*.

Depois de algum tempo, Chico Bento, que a princípio era coadjuvante, começou a cair no gosto dos leitores e se tornou o protagonista das tiras quando elas passaram a ser publicadas em jornais pelo Brasil. Um dos primeiros foi o *Diário da Noite*, de São Paulo.

Este livro traz uma adaptação de duas das histórias mais emocionantes do carismático caipira da Vila Abobrinha. A primeira é *Uma estrelinha chamada Mariana*, publicada pela primeira vez em *Chico Bento* 87, da Editora Globo, em maio de 1990. Ela foi escrita por Rubens Kiyomura, o Rubão, com desenhos de Sidnei Lozano Salustre e arte-final de Marli Mitsunaga.

Uma estrelinha chamada Mariana se tornou um clássico do personagem. Tanto que é comum achar sites e vídeos com matérias e relatos de leitores contando como suas nove páginas os emocionaram.

Na primeira página, a história é dedicada a Lúcio, Nori e Mauricinho. Foi uma homenagem do roteirista Rubão a, respectivamente, seu irmão (já falecido), sua cunhada e seu sobrinho, que haviam perdido a Mariana deles, vítima de meningite.

Mesmo tanto tempo depois de ter sido publicada, *Uma estrelinha chamada Mariana* segue inspirando não só leitores, mas também profissionais. No álbum *Ouro da Casa* (Panini, 2012), a morte da irmãzinha do Chico é mencionada na história *Aprendizado*, escrita por Sidney Gusman, desenhada por Lino Paes e arte-finalizada por Jaime Podavin. E o mesmo acontece na *Graphic MSP Chico Bento – Arvorada* (Panini, 2017), de Orlandeli.

O que os fãs não esperavam é que a história da Mariana ganhasse uma continuação tão emocionante quanto a original. Isso aconteceu 15 anos depois, em o *presente de uma estrelinha*, com roteiro de Paulo Back, desenhos de José Aparecido Cavalcante e arte-final de Kazuo Yamassake.

Para produzir o livro ilustrado *Chico Bento – Além da Vida*, o texto das duas histórias em quadrinhos mencionadas anteriormente foi todo adaptado para prosa. Como não existem mais os balões, é preciso retratar os diálogos de outra maneira, com o uso de travessões antes de cada fala.

Apesar de ser um clássico de Mauricio de Sousa, *Uma estrelinha chamada Mariana* só foi relançada em uma oportunidade, no *Almanaque Chico Bento* 77, da Editora Globo, em outubro de 2003. Já *O Presente de uma estrelinha*, por enquanto, ainda não foi republicada em quadrinhos. Esta é a primeira vez que ela retorna, agora num novo formato.

Encerramento

Os livros dos autores Luis Hu Rivas e Ala Mitchell, publicados a partir 2014 pela editora Boa Nova, em parceria com a Mauricio de Sousa Produções, tornaram-se um sucesso em pouquíssimo tempo. Já são mais de 300 mil exemplares vendidos.

Assim como ocorreu no livro *Magali em Outras Vidas*, os autores viram que as histórias do Chico Bento com a sua irmã Mariana mereciam uma atenção especial. E logo nasceu a ideia de transformá-las em um livro, mantendo a essência das obras originais.

O conceito da vida depois da morte faz parte de muitas culturas e civilizações. Desde a antiguidade, povos como os do Egito e da Índia buscavam entender o assunto.

Assim, descobrir o que há "além da vida", ao lado da simplicidade caipira de Chico Bento, é um verdadeiro presente aos leitores de todas as idades, pois oferece uma história repleta de humildade, espiritualidade, amor e fé. Uma lição pura de que a esperança é uma companheira fiel e nos consola rumo aos grandes reencontros.

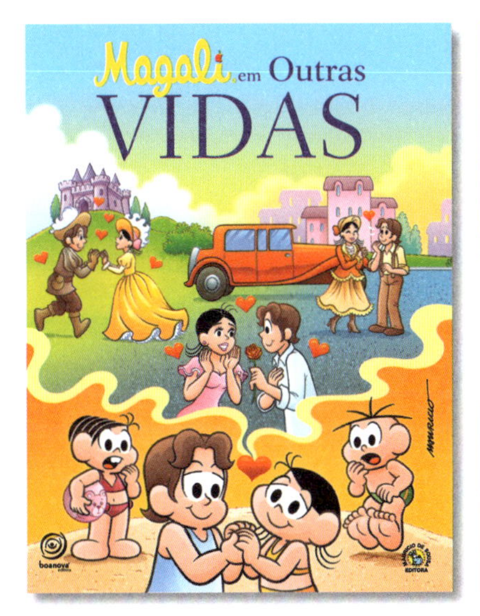
Magali em Outras
VIDAS

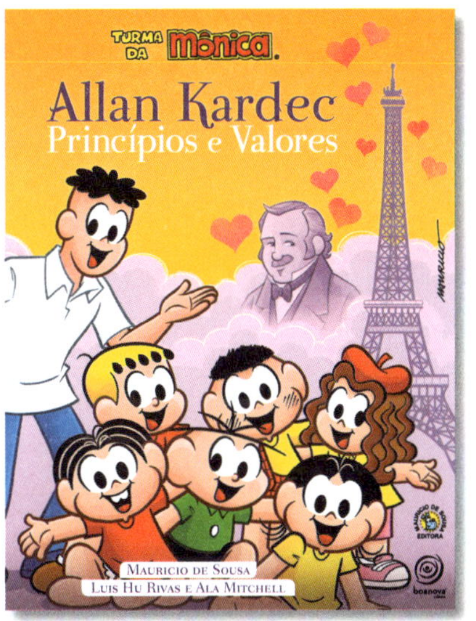
Turma da Mônica
Allan Kardec
Princípios e Valores
Mauricio de Sousa
Luis Hu Rivas e Ala Mitchell

Turma da Mônica
Outro Lar
Uma viagem de muitos ensinamentos
Mauricio de Sousa
Luis Hu Rivas e Ala Mitchell

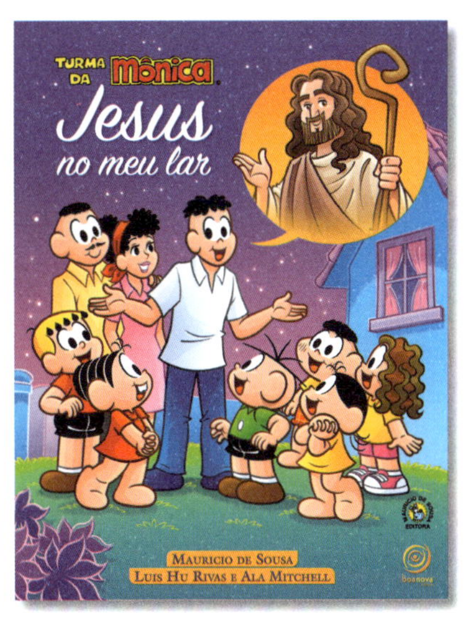
Turma da Mônica
Jesus
no meu lar
Mauricio de Sousa
Luis Hu Rivas e Ala Mitchell

Chico Bento
Além
da
Vida

Turma da Mônica Jovem
conhece
Violetas na Janela
petit
editora
Mauricio de Sousa
Luis Hu Rivas e Ala Mitchell
Baseado na obra de Vera Lúcia
Marinzeck de Carvalho